ABC: un invento extraordinario

D.R. © CIDCLI, S.C.
Av. México 145–601, Col. del Carmen
Coyoacán, C.P. 04100, México, D.F.
www.cidcli.com.mx

D.R. © Alonso Núñez

Ilustraciones: Carmen Arvizu
Coordinación editorial: Rocío Miranda
Cuidado de la edición: Elisa Castellanos
Diseño gráfico: Rogelio Rangel
Reproducción fotográfica: Rafael Miranda

Primera edición, noviembre, 2006
ISBN: 968-494-191-9

Impreso en México / *Printed in Mexico*

Colección
La saltapared

un invento extraordinario

**Por el maestro
Grafo Latín,
de la Academia de la
Lengua y la Nariz**

Ayudante del maestro Grafo Latín: Alonso Núñez

Ilustraciones: Carmen Arvizu

Hoy, alumnos, hablaré
de un invento extraordinario
que se llama **abecedario**,
alfabeto o **abecé**.

Fue compuesto por los hombres
de Fenicia, Grecia y Roma.

Roma

ALEFATO

Cartago
(colonia fenicia)

Grecia

ALFABETO

ABECEDARIO

Fenicia

Bajo el título se asoma
con sus formas y sus nombres:

Abecedario, alfabeto o abecé

MAYÚSCULA	minúscula	(nombre o nombres)
A	a	(a)
B	b	(be, be alta o be larga)
C	c	(ce)
Ch	ch	(che)
D	d	(de)
E	e	(e)
F	f	(efe)
G	g	(ge)
H	h	(hache)
I	i	(i)
J	j	(jota)
K	k	(ka)
L	l	(ele)
Ll	ll	(elle)
M	m	(eme)
N	n	(ene)
Ñ	ñ	(eñe)
O	o	(o)
P	p	(pe)
Q	q	(cu)
R	r	(erre o ere)
S	s	(ese)
T	t	(te)
U	u	(u)
V	v	(uve, ve, ve baja, ve corta o ve chica)
W	w	(uve doble, ve doble o doble ve)
X	x	(equis)
Y	y	(i griega o ye)
Z	z	(zeta)

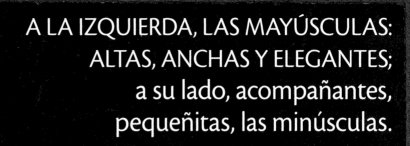

A LA IZQUIERDA, LAS MAYÚSCULAS:
ALTAS, ANCHAS Y ELEGANTES;
a su lado, acompañantes,
pequeñitas, las minúsculas.

Provechosa es la lección
de contar el **abecé**...
Ya la suma terminé:
veintinueve letras son.

Y ¿por qué es tan importante?, me pregunta un estudiante.

Con las letras formarás
las palabras, las ideas
y las cosas que deseas
expresar a los demás;
servirán para que leas
muchos libros además:
¡con las letras vivirás
aventuras y odiseas!

Y tenemos, estudiantes,
dos conjuntos principales:

cinco letras son **vocales**;
veinticuatro, **consonantes**.

Cinco vocales

A a *(a)*
E e *(e)*
I i *(i)*
O o *(o)*
U u *(u)*

Como habrás notado tú
claramente en el oído,
la **vocal** tiene un sonido:
sólo [**a**], [**e**], [**i**], [**o**], [**u**].

Veinticuatro consonantes

B b *(be, be alta o be larga)*

C c *(ce)*

Ch ch *(che)*

D d *(de)*

F f *(efe)*

G g *(ge)*

H h *(hache)*

J j *(jota)*

K k *(ka)*

L l *(ele)*

Ll ll *(elle)*

M m *(eme)*

N n *(ene)*

Ñ ñ *(eñe)*

P p *(pe)*

Q q *(cu)*

R r *(erre o ere)*

S s *(ese)*

T t *(te)*

V v *(uve, ve, ve baja, ve corta o ve chica)*

W w *(uve doble, ve doble o doble ve)*

X x *(equis)*

Y y *(i griega o ye)*

Z z *(zeta)*

b c ch d f g
h j k l ll m n
ñ p q r s t v
w x y z

Al nombrarlas notarás
que en las letras **consonantes**
hay sonidos abundantes
de dos letras y hasta más.
(Sin vocal, las consonantes
no podrán sonar jamás.)

Y comienza esta lección
al compás de una canción:

A de **a**zúcar y **a**marillo.
De **b**urrito **b**ueno, **B**.
C de **c**asa y de **c**olmillo.

Con las rimas es sencillo
aprender el **a**, **b**, **c**.

Y ¿quién brinca en el jardín?
¡Pues la **Ch** de **ch**apulín!

D de **d**edo y de **D**urango.
E de **e**scuela y de **e**studiar.
F en **f**iesta y en **f**andango.

Tras la **ch** —la **ch** de **ch**ango—
d, **e**, **f** has de anotar.

G de **g**ato y **g**orro aquí.
H de **h**abas y de **h**elados.
India, **I**talia llevan **I**.

Y diez letras van a ti
formaditas cual soldados:

A, B, C, Ch, D, E, F, G, H, I.

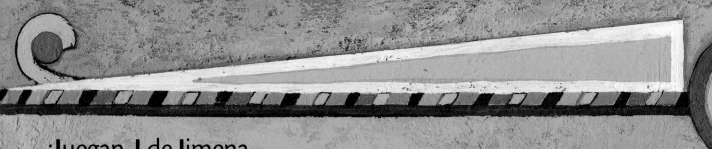

¿Juegan, **J** de **J**imena,
K de **k**ilo y de **k**ermés
y **L** **l**inda de **L**orena?

Y diciendo "sí" sin pena
a jugar vienen las tres.

En los **ll**anos de Arizona
llora la **Ll** de **ll**orona.

M en **m**ango y **m** en **m**oño.
¡**N**o, **n**aranjas, **n**ones, **N**!
Ñ en **ñ**áñaras y en **ñ**oño.

Se adelanta la **O** de **o**toño
porque nada la detiene.

Con el **p**uño, **p**um, **p**um, **p**um,
pega **P** de **p**egamento.
Y ¿**q**uién **q**uiere ver a **Q**?

De **a**, **b**, **c** a **o**, **p**, **q**
veinte van hasta el momento:

A, B, C, Ch, D, E, F, G, H, I, J, K, L, Ll, M, N, Ñ, O, P, Q

R en **r**orro y **r** en **r**ara
(esto explico en otras **r**imas*).

S asoma aquí la cara:
¡la **s**erpiente del **S**ahara!
T en **t**eatros y **t**arimas.

¡**U**h, la **U** de **u**ltramarino!
Uve, **v**e, **v**e baja o corta
viene en **v**aca, **v**oz y **v**ino.

Y quedarse sin vecino
a uve doble no le importa:
W.

Rayos **X** ven de fuera
y el **x**ilófono es (apunta)
instrumento de madera.

Con i griega o **y**e de **y**unta
y la **Z** **z**apatera
queda, pues, la lista entera:

* En la lección
de *erre fuerte*
y *ere suave*,
página 26.

A, B, C, Ch, D, E, F, G, H, I, J, K, L,

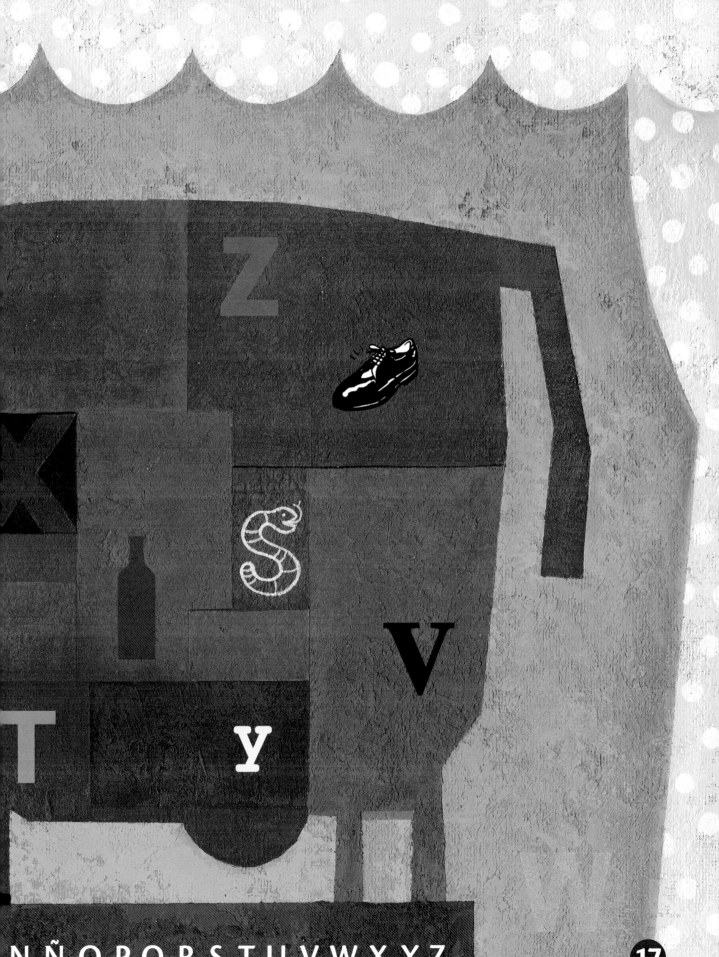

N, Ñ, O, P, Q, R, S, T, U, V, W, X, Y, Z.

Y verás letras iguales
en los juegos de vocales:

A a
Van las damas a nadar
a la playa Blanca Mar.

¡Ah, la maga Abracadabra,
tan malvada, tan macabra!

E e
Trece veces bebe leche
el bebé Teté de Meche.

I i
Di bikini, di cricrí,
di pillín y di... ¡pipí!
(Ji, ji, ji).

A e i
A
o
U

O o
Con **Otón**, gordo glotón,
como cocos con bombón.

Corro, corro, como loco,
con los choclos otro poco.

U u
Cu, cu, cu, tuturutú...
¡Tu cucú, Luz, tu cucú!

Pronunciemos, estudiantes,
varias letras consonantes.

C c *(ce)*

¡Cuántas cosas contaré
del sonido de la **C**!

Pues la **C** con **A**, **O**, **U**
suena **caco**, **coco**, **cuca**,
cola, **cá**spita, **cucú**,
coma, **cáca**ro, **curru**ca
y **cu**riosa **co**mo tú.

Pero siendo **C** vecina
de una **E** o de una **I**
sonará entonces así:
cerro, **ci**sne, **ci**en, **ceci**na
y **Ceci**lia **ce**na aquí.

Ch, ch *(che)*

Chicas, chicos, ¿saben qué?
¡**C** con **H** forma **Ch**!

Y esta letra sonará
chancla, **che**co, **chi**quitín,
cholla, **chucho**, **cha**pulín,
chocolate y **chachachá**.

G g *(ge)*
G de **ga**fa, **G** de **Gi**l,
G de **gue**rra y de **güi**pil.
(Como ves hay cuatro ges).

1. **G** con **A**, con **O**, con **U**
   suena **ga**n**ga**, **go**l, **gu**sano,
   gata, **go**rra, **gu**la, **ga**no
   y ¿**go**mitas **gu**stas tú?

2. **G** con **E** o **G** con **I**
   suena **ge**ma, **ge**l, **ge**rente,
   gis, **gi**tana, **gi**ro, **ge**nte
   y **Ge**rardo **gi**me así:
   gi, **gi**, **gi**.

3. **G** con **U** más **E** o **I**
   suena **gue** o suena **gui**
   de **gue**rrero y a**gue**rrido
   y un **gui**sado **gui**sa **Gui**do
   y **Gui**llermo si**gue** aquí.

4. Si le pones el sombrero
   (**Ü** con diéresis) di así:
   sinver**güe**nza, **güi**ro, **güe**ro
   y pin**güi**no con **güi**pil.

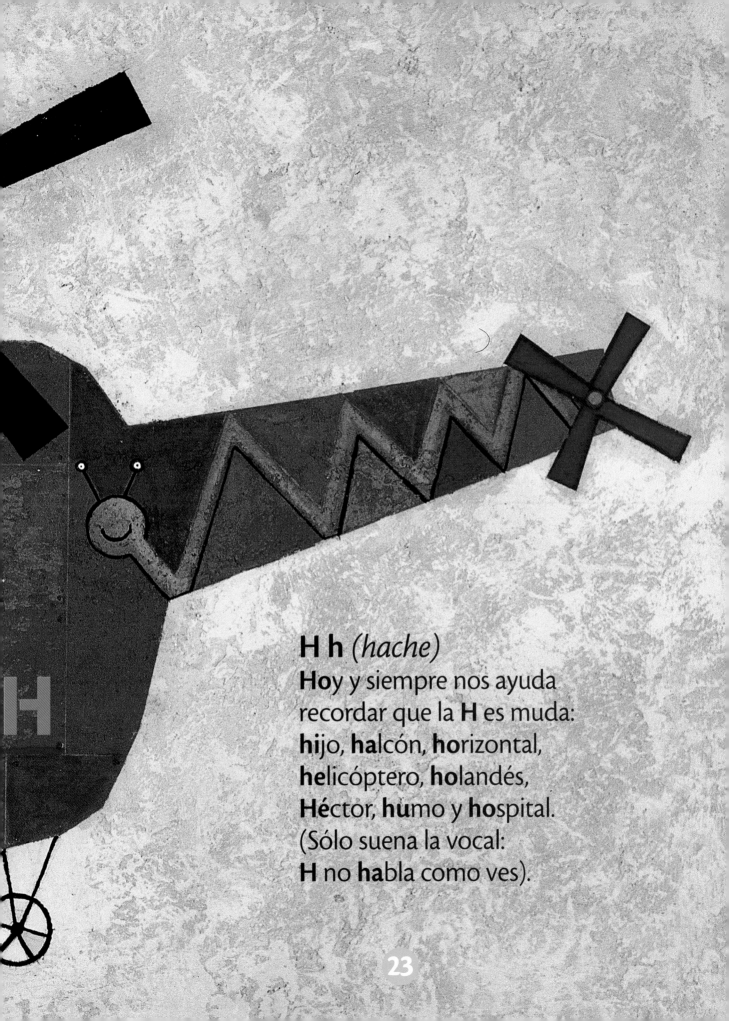

H h *(hache)*
Hoy y siempre nos ayuda
recordar que la **H** es muda:
hijo, **ha**lcón, **ho**rizontal,
helicóptero, **ho**landés,
Héctor, **hu**mo y **ho**spital.
(Sólo suena la vocal:
H no **ha**bla como ves).

Ll ll *(elle)*

L y L forman **Ll**
de **ll**orar, estre**ll**a, be**ll**o,
llanta, **ll**eno, **ll**ave, se**ll**o
y **ll**egar la **ll**uvia al mue**ll**e.

Ñ ñ *(eñe)*

Ñ, letra con mo**ñ**ito,
es un invento espa**ñ**ol:
ni**ñ**a risue**ñ**a de Espa**ñ**a,
de la vi**ñ**a, de la ca**ñ**a,
de las ma**ñ**anas de sol.

~

Y esta raya onduladilla
es la **tilde** o **virgulilla**.

Q q *(cu)*

El sonido de la **Q**
necesita de la **U**.

Y contando con su ayuda
logra **Q** sonar así:
queso, ¿**qué**?, **qui**quiriquí,
Quique Quinto te saluda.
(Pero ve: la **U** está muda;
sólo suena **E** o **I**).

quiquiriquí

25

R r *(erre o ere)*
Que en la mente se les grabe,
estudiantes distinguidos:
una letra, dos sonidos,
erre fuerte y *ere* suave.

erre

Al principio de palabra
R suena como **erre**:
rabo, **r**eja, **r**isa, **r**ojo,
es decir, como **erre** fuerte.

Cuando van entre vocales
erre y **erre** (o doble **R**)
como en ca**rr**o, ce**rr**o y bu**rr**o
siempre suenan **erre** fuerte.

ere

Pero en medio de vocales
R, sola, suena *ere*:
ca**r**a, ce**r**a, ti**r**o, lo**r**o,
es decir, muy suavemente.

Otro ejemplo juguetón
les daré a continuación:

Una pe**rr**a come pe**r**a
pe**r**o el pe**rr**o **r**estos du**r**os
y don Cu**rr**o fuma pu**r**os
y **r**espi**r**a con **r**onquera.

X x *(equis)*
Que se explique, que se exprese:
X suena **K** más **S***
en a**x**ila, en e**x**igir,
en ta**x**ista, en e**x**entar,
en o**x**ígeno, en lu**x**ar,
en elí**x**ir o eli**x**ir.

Tú, chamaco, y tú, chamaca,
con cuidado tomen nota,
que en tres casos suena **J**:
Te**x**as, Mé**x**ico y Oa**x**aca.

Así mismo les recalco,
pues quizá les interese,
que al principio suena **S**:
Xochimilco y **X**ochicalco.

* Otros dicen **G** más **S**.

Y y *(i griega o ye)*
Y la **ye** qué interesante:
es vocal y consonante.

Si la pones al final
o solita en la función
que se llama conjunción
sonará como vocal:
Hay un rey que dice: "Ay,
esta ley es para hoy
y acabándola me voy
muy contento a Paraguay".

Y poniéndola delante
de la sílaba di ye;
seis ejemplos te daré
del sonido consonante:
yoyo, **ye**gua, **Yu**catán,
yema, **ye**so y **ya** seis van.

¡Paren, niños, las orejas
porque llegan dos parejas!

B b *(be)* y **V v** *(uve)*
De ambas letras les diré
un secreto en el oído:
es idéntico el sonido
de la **V** y de la **B**.
¡Ambas suenan como be
aunque son letras distintas!
Be**b**en **v**ino y **v**an por **b**erros
varias **b**estias **v**ariopintas:
burros, **v**í**b**oras, **b**ecerros,
veinte **b**ellas **v**acas pintas.

G g *(ge)* y **J j** *(jota)*
Estudiantes, tomen nota:
cuando van con **E** o con **I**
igualitas, sí que sí,
sonarán la **G** y la **J**:
genio, **je**rga, **ge**neral,
gel, **Je**rónimo, **ge**rmano,
gira, **jí**cama, **gi**tano,
gis, **ji**cote y… **ji**caral.
(Por supuesto, niños pícaros:
el e**ji**do donde hay **jí**caros).

A a, B b, C c, Ch ch, D d, E e, F f, G g, H h, I i, J j, K k, L l, Ll ll, M m, N n, Ñ ñ, O o, P p, Q q, R r, S s, T t, U u, V v, W w, X x, Y y, Z z.

Y terminan de una vez
las lecciones que les muestro.
Dice Grafo, su maestro,
que han sacado todos diez.

ABC: un invento extraordinario

se acabó de imprimir en el mes de noviembre de 2006
en los talleres de Artes Gráficas Panorama, S.A. de C.V.,
Avena 629 colonia Granjas México, C.P. 08400, México, D.F.
El tiraje fue de 3,000 ejemplares.